幼儿双语经典童话故事

木偶奇遇记

The Adventure of a Puppet

王玉芳 编译

上海科学普及出版社

木偶奇遇记

有一天，一个老伯伯用木头做了一个可爱的小木偶男孩。半夜里，仙女飞来了，用手轻轻一点，小木偶活了。

The Adventure of a Puppet

One day, an old man made a lovely wood puppet boy. In the middle of the night, the fairy flew over. She clicked the puppet gently with her hand, and then puppet became alive.

老伯伯醒来发现小木偶变成了小男孩，高兴极了。第二天，小木偶在去上学的路上捡到了五枚金币，小木偶高兴极了，拿着金币就往家里跑。

The old man woke up to find the little puppet became a little boy. He was very happy. The second day, on his way to school, the little puppet picked up five gold coins. The puppet was very happy. He held the coins and ran home.

lù shang　　　tā pèng dào le jiǎo huá de hú li，hú li

路上，他碰到了狡猾的狐狸，狐狸

shuō　　nǐ xiǎng bù xiǎng ràng nǐ de qián biàn de gèng duō ne？　wǒ

说："你想不想让你的钱变得更多呢？我

zhī dào yǒu gè dì fang，zhǐ yào nǐ zhòng xià yì méi jīn bì，jiù

知道有个地方，只要你种下一枚金币，就

huì zhǎng chū yì kē jiē mǎn jīn bì de shù

会长出一棵结满金币的树！"

On the way home, he met a cunning fox. The fox
said, "Do you want to make your money more? I know
a place where you plant one gold coin, it will grow a
tree with a lot of gold coins."

xiǎo mù ǒu xiāng xìn le hú li de huà gēn zhe hú li zǒu le bàn lù

小木偶相信了狐狸的话，跟着狐狸走了，半路

shang hú li bī tā jiāo chū jīn bì lái xiǎo mù ǒu bǎ jīn bì cáng zài zuǐ

上，狐狸逼他交出金币来。小木偶把金币藏在嘴

li hú li zhǎo bú dào jiù bǎ tā diào dào le shù shang

里，狐狸找不到，就把他吊到了树上。

The puppet believed his words and followed the fox. But on the halfway, the fox forced him to hand over the gold coins. The puppet hid the gold coins in the mouth. The fox could not find them, so he hung him in a tree.

hòu lái xiān nǚ fēi lái jiù le tā   zěn me huí shì   xiān nǚ
后来仙女飞来救了他。"怎么回事?"仙女

wèn xiǎo mù ǒu   xiǎo mù ǒu xiǎng shuō shí huà tài diū liǎn le   yú shì tā
问小木偶。小木偶想,说实话太丢脸了,于是他

jiù kāi shǐ sā huǎng   kě shì yuè shuō tā de bí zi biàn de yuè cháng
就开始撒谎,可是越说他的鼻子变得越长。

Later a fairy saved him and asked, "What happened?" Little puppet thought it was shameful to tell the truth, so he lied. But his nose became longer and longer.

tā zhōng yú rěn bu zhù kū le qǐ lái   jiù jiu wǒ   wǒ zài yě bù

他终于忍不住哭了起来。"救救我，我再也不

shuō huǎng le   xiǎo mù ǒu qiú xiān nǚ   xiān nǚ zhè cái ràng tā de bí zi

说谎了！"小木偶求仙女。仙女这才让他的鼻子

huī fù zhèngcháng   cóng zhè yǐ hòu   xiǎo mù ǒu zài yě bù gǎn shuō huǎng le

恢复正常。从这以后，小木偶再也不敢说谎了。

He finally couldn't help crying. "Help me, I won't lie!" The puppet begged. The fairy just turned his nose back to normal. After this, puppet never lied.

小蜜蜂玛雅

今天是小蜜蜂玛雅第一次被允许出宫。一大早，它就跟着姐姐们到外面去采花蜜了。

Bee Maya

Today is the first time that Bee Maya is allowed to go out of the palace. Early in the morning, it followed its sisters to collect nectar.

"哇，天空多么广阔啊！"玛雅高兴地在空中飞翔，不知不觉就掉队了。它落在郁金香花上休息，喝了一肚子的花蜜。

" Wow, how vast the sky is! " Maya was flying happily in the air, unconsciously it was left behind. It stopped on the tulip to rest and had nectar from flowers.

“外面真好玩呀！”玛雅不想回去了，只想玩个痛快。它白天在花丛中玩得很开心，可是黑夜里却冷得直打哆嗦。玛雅后悔了。

"This is so fun!" Maya didn't want to go back. It just wanted to play. Maya played happily in the flowers during the day, but it began to shiver in the darkness. Maya regretted it.

zǎo chen　mǎ yǎ bèi xiǎo niǎo chǎo xǐng le　jīn guī zǐ shū shu

早晨，玛雅被小鸟吵醒了，金龟子叔叔

xiàng mǎ yǎ wèn hǎo　mǎ yǎ yòng huā yè shang de lù shui xǐ liǎn shù

向玛雅问好。玛雅用花叶上的露水洗脸漱

kǒu　yòu hē bǎo le fēng mì　rán hòu jiù lí kāi le

口，又喝饱了蜂蜜，然后就离开了。

In the morning, Maya was awakened by the sound of birds. Uncle Beetle said hello to Maya. Maya washed it's face using the dew on the floral leaf and had nectar as breakfast, and then left.

tā lái dào yī piàn huā cóng zhōng tū rán tīng dào yuǎn chù chuán
它来到一片花丛中，突然，听到远处传
lái jiù mìng shēng yuán lái shì dú jiǎo xiān tǎng zài dì shang qǐ bù lái
来救命声。原来是独角仙躺在地上起不来
le mǎ yǎ zhuā zhù yì kē cǎo shāo dì gěi tā tā yí yòng lì jiù
了，玛雅抓住一棵草梢递给它，它一用力就
qǐ lái le
起来了。

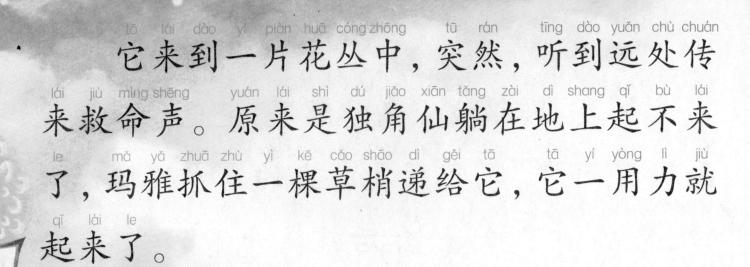

It came to a shrub of flowers. Suddenly, it heard someone was shouting for help. It was a Hercules beetle lying on the ground. He can't get up. Maya handed him a branch and pulled the branch. Finally Hercules beetle stood up.

tiān hēi le， mǎ yǎ xiǎng zhǎo gè shuì jiào de dì fāng，
天黑了，玛雅想找个睡觉的地方，

què zhān zài zhī zhū wǎng shang le。 mǎ yǎ pīn mìng zhēng zhá，
却粘在蜘蛛网上了。玛雅拼命挣扎，

kě shì táo bú diào。 zhè shí， dú jiǎo xiān fēi lái， yòng chì
可是逃不掉。这时，独角仙飞来，用翅

bǎng bǎ zhī zhū wǎng dǎ suì le。
膀把蜘蛛网打碎了。

It was getting dark, Maya would like to find a place to sleep, but it was stuck on a spider web. Maya struggled hard, but can't escape. At this moment, Hercules beetle flew over. He broke the spider web with wings.

13

mǎ yá xiè guò dú jiǎo xiān tā yòu jì xù wǎng qián
玛雅谢过独角仙，它又继续往前
fēi zhè shí hú fēng wēng wēng de xí lái bǎ mǎ yǎ
飞。这时，胡蜂嗡嗡地袭来，把玛雅
zhuā zǒu guān jìn le láo li
抓走，关进了牢里。

Maya thanked Hercules beetle and continued to fly forward.
Then wasps swept and took Maya into prison.

zài láo
在牢
lǐ mǎ yǎ
里，玛雅
kàn dào hěn duō
看到很多
chóng zi de yí hái
虫子的遗骸，
tā hài pà jí le tū rán tā xiǎng qǐ le zì jǐ shēn shang de wěi zhēn jiù
它害怕极了。突然，它想起了自己身上的尾针，就
yòng wěi zhēn zài qiáng shang wā le yí gè dòng cóng láo fáng lǐ táo le chū qù
用尾针在墙上挖了一个洞，从牢房里逃了出去。

In prison, Maya saw many insect remains, so it was scared. Suddenly, it thought of its tail needle. Maya escaped from the prison by using its tail needle digging a hole on the wall.

mǎ yǎ diē diē zhuàngzhuàng de fēi huí wáng gōng cóng nà yǐ hòu xiǎo mì
玛雅跌跌撞撞地飞回王宫。从那以后，小蜜
fēng mǎ yǎ biàn chéng le yì zhī shǒu jì lǜ de hǎo mì fēng
蜂玛雅变成了一只守纪律的好蜜蜂。

Maya stumbled back to the palace. Since then, the little bee Maya
became a discipline bee.

盲兔买水罐

xià tiān de zhōng wǔ　　hú li biān yáo pú shàn biān yāo he　　mài
夏天的中午，狐狸边摇蒲扇边吆喝："卖

shuǐ guàn lou　　bái guàn de sān kuài qián　　hēi guàn de wǔ kuài qián
水罐喽，白罐的三块钱，黑罐的五块钱。"

A Blind Rabbit Buys Tanks

　　Summer noon, the fox shouted while shaking cattail leaf fan, "tanks, three dollars for a white tank, five dollars for a black tank."

zhè shí yì zhī máng tù zhǔ zhe
这时，一只盲兔拄着
guǎi gùn zǒu le guò lái tā dì gěi hú
拐棍走了过来。它递给狐
li wǔ kuài qián shuō gěi wǒ yí gè
狸五块钱，说："给我一个
hēi guàn
黑罐。"

Then, a blind rabbit on a walking stick came along. It gave five dollars to the fox and said, "Gave me a black tank."

狐狸接过钱，眼珠骨碌一转："反正它什么也看不见，给它白罐的，我就可以多赚两块钱呢。"

The fox took the money, thought, "Anyway, the rabbit can't see anything, gave it a white tank, I can also earn more two dollars."

yú shì hú li dì chū yí gè bái guàn máng
于是狐狸递出一个白罐。盲
tù jiē guò hòu yòu mō le mō qí tā guàn rán hòu
兔接过后，又摸了摸其他罐，然后
dà shēng shuō nǐ piàn wǒ nǐ gěi wǒ de shì bái
大声说："你骗我，你给我的是白
guàn
罐！"

So the fox handed out a white tank. The blind rabbit received it and touched other tanks, then said loudly, "You lied to me, you gave me a white tank!"

hú li shēng qì de wèn nǐ yòu kàn bú
狐狸生气地问:"你又看不
jiàn píng shén me zhè me shuō dà jiā fēn fēn
见,凭什么这么说?"大家纷纷
wéi le guò lái xiǎng tīng gè jiū jìng
围了过来,想听个究竟。

The fox asked angrily, "you can't see anything, why did you say that?" At that time, many people came around and wanted to hear the result.

máng tù shuō   yán sè shēn de guàn zi xī shōu yáng
盲兔说:"颜色深的罐子吸收阳
guāng duō   yán sè qiǎn de zé xiāng fǎn   wǒ zhè ge guàn mō
光多,颜色浅的则相反,我这个罐摸
qǐ lái méi yǒu qí tā de rè   nǐ yí dìng piàn le wǒ
起来没有其他的热,你一定骗了我。"

The blind rabbit said, "The darker tank can absorb more sunlight, on the other hand, the light-colored tank can't. This one touched colder than others. You must have lied to me."

大家听了盲兔的话，觉得很有道理，都七嘴八舌地指责狐狸。狐狸羞愧地夹着尾巴溜走了。

Hearing that everyone felt the blind rabbit's words were very reasonable. Then they accused the fox together. The fox slipped away in shame.

聪明的小猪

xiǎo zhū jiā zài yì tiáo
小猪家在一条
xiǎo hé biān　yì tiān　hé
小河边。一天，河
duì àn de zhū yé ye lái diàn huà shuō
对岸的猪爷爷来电话说，
jiā li tíng shuǐ le　jí xū yòng shuǐ
家里停水了，急需用水。

A Clever Pig

There was a little pig living on the river bank. One day his grandpa who lived in the opposite gave a call. He said that there was no water at home and they needed water badly.

zhū bà ba zhī dào hòu gǎn jǐn zhuāng hǎo liǎng
猪爸爸知道后，赶紧装好两
tǒng shuǐ zhǔn bèi gěi yé ye sòng qù xiǎo zhū shuō
桶水，准备给爷爷送去。小猪说：
ràng wǒ sòng ba bà ba dā ying le
"让我送吧！"爸爸答应了。

Knowing that, the pigs father installed hurriedly two buckets of water and wanted to send it to grandpa. The little pig said, "L et me do it!" Father agreed.

xiǎo zhū tí zhe shuǐ　hěn kuài jiù lái
小猪提着水，很快就来
dào le xiǎo hé biān　hé shang jià zhe yí zuò
到了小河边，河上架着一座
xiǎo qiáo　qiáo shēn hěn dī　tiē jìn shuǐ miàn
小桥，桥身很低，贴近水面。

Carrying water, the pig soon came to the small river. There was a bridge on the river. It was very low and close to the water.

tí　zhè　me　zhòng　de　liǎng tǒng shuǐ
"提这么重的两桶水，
qiáo shēn　yí　dìng huì　xià chén de　　xiǎo zhū
桥身一定会下沉的。"小猪
zhàn zài　àn　biān xiǎng le　yí　huì　er　　yǒu
站在岸边想了一会儿，有
bàn　fǎ　le
办法了！

"1 am carrying such two heavy buckets of water
the bridge must sink." The little pig stood there and
thought for a while. Finally he got an idea.

tā zǒu shàng qiáo   jiāng liǎng tǒng shuǐ fàng
它走上桥，将两桶水放
zài hé miàn shang   lì yòng shuǐ de fú lì   qīng
在河面上，利用水的浮力，轻
sōng de guò le qiáo
松地过了桥。

It walked to the bridge while putting
two buckets of water in the river. The little
pig easily went across the bridge using the
buoyancy of water.

<ruby>小<rt>xiǎo</rt></ruby><ruby>猪<rt>zhū</rt></ruby><ruby>用<rt>yòng</rt></ruby><ruby>科<rt>kē</rt></ruby><ruby>学<rt>xué</rt></ruby><ruby>原<rt>yuán</rt></ruby><ruby>理<rt>lǐ</rt></ruby><ruby>解<rt>jiě</rt></ruby><ruby>决<rt>jué</rt></ruby><ruby>了<rt>le</rt></ruby><ruby>困<rt>kùn</rt></ruby><ruby>难<rt>nan</rt></ruby>，<ruby>成<rt>chéng</rt></ruby><ruby>功<rt>gōng</rt></ruby><ruby>地<rt>de</rt></ruby><ruby>把<rt>bǎ</rt></ruby>

xiǎo zhū yòng kē xué yuán lǐ jiě jué le kùn nan chéng gōng de bǎ
小猪用科学原理解决了困难，成功地把
shuǐ yùn dào le yé ye jiā hái shòu dào le yé ye de kuā jiǎng
水运到了爷爷家,还受到了爷爷的夸奖。

The little pig used scientific principle to solve problems. He succeeded in sending the water to grandpa. Grandpa praised the little pig.

狂妄自大的蚊子

yǒu yì zhī wén zi bù guǎn jiàn dào shéi dōu yào yǎo
有一只蚊子不管见到谁，都要咬
liǎng kǒu suǒ yǐ hǎo duō dòng wù dōu duǒ zhe tā
两口，所以好多动物都躲着它。

The Hubris of A Mosquito

There was a mosquito. No matter whom it met, wanted to bite, therefore many animals hid from it.

wén zi jiàn dà jiā dōu duǒ zhe tā
蚊子见大家都躲着它，
dé yì jí le zhè tiān tā dòng qǐ le
得意极了。这天，它动起了
huài xīn si xiǎng chéng wéi sēn lín zhī wáng
坏心思，想成为森林之王。

The mosquito saw everyone hiding from it, it
felt very proud. One day, it got a bad idea that it
wanted to be the king of the forest.

yú shì wén zi qù zhǎo shī zi wèi
于是，蚊子去找狮子，"喂，

dà shī zi gěi wǒ tīng zhe wǒ yào xiàng nǐ
大狮子，给我听着，我要向你

tiǎo zhàn wǒ yào chéng wéi sēn lín zhī wáng
挑战，我要成为森林之王。"

As a result, the mosquito found the lion, "Hey, big lion, listen to me, I want to challenge you. I want to be the king of the forest."

shī zi zhèng zài xiū xi gēn běn jiù
狮子正在休息，根本就
méi tīng jiàn wén zi de huà dāng rán yě bù
没听见蚊子的话，当然也不
zhī dào zhè xiǎo xiǎo wén zi de cún zài le
知道这小小蚊子的存在了。

The lion was having a rest and didn't hear what the mosquito said, so of course didn't know the mosquito was here.

33

nǐ bù gǎn yìng zhàn ma kě wù de
"你不敢应战吗？可恶的
dà shī zi wén zi qì jí le zhuān tiāo shī
大狮子。"蚊子气极了，专挑狮
zi bí zi zhōu wéi méi máo de dì fang yǎo
子鼻子周围没毛的地方咬。

"Dare you accept my challenge?
Hateful big lion." Mosquito was very
angry. It bit the lion's nose where
there is no hair around.

shī zi máng yòng zhuǎ zi zhuā liǎn
狮子忙用爪子抓脸，
kě tā bǎ liǎn zhuā pò le yě méi zhuā zháo
可它把脸抓破了也没抓着
wén zi zuì hòu zhǐ dé táo zǒu le
蚊子，最后只得逃走了。

The lion scratched its face with its claws.
Finally the lion had to run away.

35

wǒ shèng lì le　　wén zi dé yì de
"我胜利了！"蚊子得意地
fēi zhe　　bú liào què yì tóu zhuàng jìn le zhī zhū
飞着，不料却一头撞进了蜘蛛
wǎng　zhī zhū pá guò lái　yì kǒu bǎ tā tūn le
网，蜘蛛爬过来，一口把它吞了。

I "win!" the mosquito flew complacently. Suddenly
the mosquito bumped into a spider's web. The spider
crawled around and swallowed it up.